DÙBHLAN
AN T-SRAINNSEIR

DÙBHLAN
AN T-SRAINNSEIR

Iain MacFhionghain

Air fhoillseachadh ann an 2013 le Acair Earranta,
7 Sràid Sheumais, Steòrnabhagh, Eilean Leòdhais HS1 2QN

www.acairbooks.com
info@acairbooks.com

info@storlann.co.uk
www.storlann.co.uk

Tha còraichean moralta an ùghdair/dealbhaiche air an daingneachadh.

Na dealbhan còmhdach le Catriona MacIver
An dealbhachadh agus an còmhdach le Mairead Anna NicLeòid
An suaicheantas airson Sgrìob air a dhealbhachadh le Fiona Rennie

Gheibhear clàr catalogaidh airson an leabhair seo
bho Leabharlann Bhreatainn.

Clò-bhuailte le Nicholson & Bass, Èirinn A Tuath

Tha Acair a' faighinn taic bho Bhòrd na Gàidhlig.

ISBN/LAGE 978-0-86152-540-9

 **SGRÌOB**

Sgeulachdan anns a bheil càirdeas is dòchas,
spionnadh agus fealla-dhà; stòiridhean le manaidhean
is plàighean, eucoir agus draoidheachd.

Tog aon dhiubh seo agus gabh sgrìob gu
saoghal tarraingeach, dìomhair a tha stèidhichte
san latha an-diugh, san linn a dh'fhalbh
no ann an linn nach fhacas fhathast.

Eadar bailtean mòra na dùthcha is eileanan beaga
na Gàidhealtachd, tha caractaran òga a' gabhail
an sgrìob fhèin a dh'ionnsaigh co-dhùnadh no
ceann-uidhe, toradh no buannachd.

Sreath de nobhailean ùra do luchd-leughaidh
eadar 10 is 14 bliadhn' a dh'aois.

Bu chaomh leam taing a thoirt dha mo bhean, mo theaghlach agus mo charaidean airson an taic, dha clann-sgoile Ùig agus Steòrnabhaigh airson mo bhrosnachadh, agus Quinton... fhuair mi mo dhìoghaltas!

CLÀR-INNSE

CAIBIDEIL 1

"Fhionnlaigh! Èirich mus lobh thu anns an leabaidh a tha sin."

Sheall Fionnlagh ris a' chloc. Leth-uair an dèidh aon uair deug sa mhadainn. Diardaoin. Dè bha ceàrr air a mhàthair co-dhiù? Cò (len ciall reusanta) a bhiodh ag èirigh na bu thràithe na meadhan-latha tro shaor-làithean an t-samhraidh? Cha robh gu bhith aige ach trì làithean a bharrachd de dh'fhois mus biodh e air a shlaodadh air ais dhan phrìosan a bha siud shuas aig mullach a' chnuic anns an ath bhaile. Trì làithean. Urgh. Bha e a' faireachdainn tinn dìreach a' smaoineachadh mu dheidhinn. Trì làithean. Agus an uair sin air ais gu gnìomhairean agus bloighean agus cuin a thàinig na Ròmanaich a Bhreatainn. Urgh. Rinn e mèaran.

"Fhionnlaigh? Mura h-èirich thu sa mhionaid, thèid mi suas an sin agus slaodaidh mi a-nuas an staidhre thu," dh'èigh i. "Agus tha fios glè mhath agad gun dèan mi e cuideachd," ars ise an dèidh diog no dhà de shàmhchair bho rùm Fhionnlaigh.

Rinn Fionnlagh osna mhòr agus shad e a phlaide sìos gu bonn na leapa agus chuir e a chasan air an làr. Uill, bha e an-àird. Bha cho math a-nis feuchainn ri lorg fhaighinn air rudeigin a chuireadh e air. Thog e a bhriogais bhon làr far an deach a fàgail an dèidh dha a cur dheth a-raoir, agus thug e T-lèine orains a-mach às a' phreas fon uinneig. Dhèanadh siud a' chùis glè mhath.

Sheas e air beulaibh an sgàthain fhada a bh' air a' phreas-aodaich airson sùil a thoirt air fhèin. "*Bingo*. Abair stoidhle!" arsa Fionnlagh ris fhèin. B' e balach nach robh ro àrd a bh' ann dheth, agus 's dòcha a bha beagan ro chruinn airson a bhith fallain. Bha fhalt dorch, donn gu math mì-rianail seach gun robh e dìreach air dùsgadh, ach fiù 's nuair a bha e air cìr a chur troimhe, cha bhiodh e a' laighe ceart. Co-dhiù, bha fhalt beagan ro fhada. Bha gràin aig Fionnlagh air a bhith a' gearradh fhalt. Cha bu chaomh leis nuair a thuiteadh na gaiseanan beaga sìos cùl amhaich. Lorg e paidhir bhrògan fon leabaidh agus rinn e às sìos an staidhre gu bhracaist.

Nuair a choisich e a-steach dhan chidsin, bha athair na sheasamh aig an t-sinc a' nighe a làmhan.

"Bha thìd' agad smaoineachadh air," ars athair. "Tha cuid de dhaoine an dèidh an obair-latha a dhèanamh 's tusa fhathast an sin ag ithe Frosties. Greas ort a-mach mus tig an oidhche 's tu fhathast gun dùsgadh ceart."

Cha robh Fionnlagh a' toirt cus umhail dhan rud a bha athair ag ràdh. Bha e a' feuchainn ri cuimhneachadh air rudeigin a bha a mhàthair air a ràdh ris an-dè. Ach dè bh' ann?

"Cuimhnich gu bheil d' Uncail Dol-Angaidh a' tighinn an-diugh," ars athair.

Ah. Siud e.

"Dol-Angaidh? Cuin a bha esan an seo mu dheireadh?" dh'fhaighnich Fionnlagh tro bheul làn Frosties.

"Cha robh o bha thusa na do rud beag. Tha mi creids' nach eil cus de chuimhne agad air," thuirt athair, 's e a' tiormachadh a làmhan air a shliasaidean.

11

"Chan eil cuimhne idir agam air…" smaoinich Fionnlagh ris fhèin, a' sgrìobadh a' Frostie mu dheireadh a-mach às a' bhainne aig bonn a' bhobhla.

An dèidh a bhracaist ghabh Fionnlagh ceum sìos an rathad gu taigh a charaid, Sìm. Cha robh mòran chloinne sa bhaile idir, ach gu fortanach bha Sìm a' fuireach dìreach trì taighean sìos an rathad. Bha Sìm ann an clas Fhionnlaigh anns an sgoil agus bhiodh iad a' sporghail anns na dìgean còmhla gun sgur. Thàinig pàrantan Shìm à Leicester dìreach mus do thòisich e fhèin 's Fionnlagh anns an sgoil. Chaidh an cur dhan chlas Ghàidhlig agus bhiodh an dithis aca a' faighinn an uabhas spòrs bho bhith a' bruidhinn na Gàidhlig timcheall air pàrantan Shìm (aig nach robh facal) 's a h-uile coltas air na h-aodainn aca gun robh iad ri mì-mhodh, ged nach biodh iad ach a' bruidhinn mu dheidhinn dè bha gu bhith aca gun teatha an oidhche ud. 'S e màthair Shìm a fhreagair an doras.

"It's Fin-lay!" dh'èigh i suas an staidhre nuair a chunnaic i cò bh' ann.

Nochd Sìm an dèidh diog no dhà bho mhullach na staidhre. Bha Sìm an aon aois ri Fionnlagh ach bha e gu math na b' àirde na e.

Bha e cuideachd gu math na bu taine. Bha e (mar a chanadh athair Fhionnlaigh) rudeigin '*peely wally*' mun an aodann agus bha fhalt bàn. An-diugh bha dà chearcall mhòr dhorch fo gach tè de na sùilean aige a bha ga dhèanamh coltach ri panda.

"Murt mhòr," arsa Fionnlagh. "Dè fo ghrian a thachair dhutsa? An ann a' sabaid a bha thu?"

"Cò air a tha thu a-mach? Cha robh na sabaid. Bha mi a' coimhead a' film ud air an teilidh a-raoir. Am faca tu e?"

"Chan fhaca. Cuin a bha e air?" dh'fhaighnich Fionnlagh.

"Uill, thòisich e aig aon uair deug..."

"Ah." Cha leigeadh màthair Fhionnlaigh dha càil a choimhead air an telebhisean seachad air naoi uairean. "Chan eil rian nach robh mi a' coimhead rudeigin air an taobh eile," thuirt e, a' feuchainn ri toirt a chreids' air Sìm. "Cò mu dheidhinn a bha e?"

"Uh, bha e mu dheidhinn an spaidh a tha seo a tha a' tighinn tarsainn air mèirleach a tha a' dol a ghoid mìltean de notaichean bhon bhanca shìos am baile. Ach tha an spaidh ga ghlacadh agus tha sabaid mhòr ann agus tha e fhèin an uair sin a' dràibheadh air falbh anns a' chàr aige leis an tè a tha ag obair air cùl a' chunntair anns a' bhanc."

"Cò? Am mèirleach?"

"Chan e, amadain. An spaidh"

"Ò. Tha mi tuigsinn a-nis," arsa Fionnlagh, ged nach robh.

"Nach bochd," arsa Sìm an dèidh greiseag, "nach tachradh a leithid timcheall air an àite seo. Cuiridh mi geall ort gun cuireadh sinne stad air mèirleach sam bith a nochdadh anns an sgìre."

"Aidh...," arsa Fionnlagh. "Tha mi creids'..."

Diardaoin - 12:10

Ghabh iad grèim bìdh aig taigh Shìm mus deach iad air ais a-mach, ged nach robh leth-uair a thìde ann bho ghabh gach duine ac' am bracaist. *Bacon rolls*. Agus abair gun robh iad math. Bha gach duine aca a-nis a' coiseachd sìos an staran a' brùchdail, leis a h-uile coltas air na h-aodainn aca nach robh iad a' faireachdainn duilich idir airson na muic bhochd.

"'Eil thu airson a dhol a dh'iasgach?" dh'fhaighnich Sìm dha Fionnlagh.

"Tud, tha mi cho làn 's gun spreadhainn nam feuchainn ri iasg a shlaodadh a-steach," thuirt Fionnlagh 's e ag osnaich a' feuchainn ris an geata fhosgladh, "ach dè mu dheidhinn cuairt a ghabhail sìos gu Oifis a' Phuist? Lorg mi not fo na cuiseanan air an t-sòfa. Gheibh sinn pacaid shuiteas no dhà."

Dh'aontaich Sìm agus sìos an rathad gun do ghabh iad. Bha rathad a' bhaile a' ruith ann an cearcall timcheall air Crùlastadh. Chaidh iad seachad air taigh Beileag Ailig, agus chrom iad sìos seachad air garaids Chaluim Thoncair. Bha allt beag ann an sin far am biodh na balaich gu tric ag iasgach, agus ri thaobh bha cnoc beag far am biodh iad a' slaighdeadh le pocannan plastaig nuair a bhiodh sneachd ann. Ann an sin bha rathad a' bhaile a' coinneachadh ris an rathad mhòr. Air an làimh chlì bha e a' dìreadh suas gu Oifis a' Phuist, agus air an làimh dheis bha e a' cromadh sìos chun a' chladaich far an robh an t-seann mhuileann agus an cladh. Thionndaidh na balaich suas gu Oifis a' Phuist agus an aire air na cnogain shiùcaran a bh' aig Ciorstaidh a' Changain air cùl a' chunntair.

Cha robh sgeul air duine beò nuair a ràinig iad Oifis a' Phuist. Cha robh càr Ciorstaidh ri fhaicinn. Bha an t-àite dubh dorch 's an doras glaiste.

"Och, cha robh cuimhn' agam gum biodh i a' gabhail leth-latha Diardaoin," thuirt Sìm. "Feumaidh sinn feitheamh ris a' bhan a-nis."

Bhiodh bhan Stogain a' tighinn a h-uile feasgar Diardaoin agus 's e bu choireach gun robh uiread de dh'obair aig fear nam fiaclan ri dhèanamh am measg clann na sgìre. Bha a h-uile seòrsa rud aige an cùl na bhan. A h-uile seòrsa siùcair air an t-saoghal. Cha leigeadh màthair Fhionnlaigh dha a dhol ann idir. Bhiodh i ag ràdh nach robh annta ach searbhag, agus gun tuiteadh na fiaclan aige a-mach nam biodh e ag ith' a leithid. Bha Fionnlagh fhèin den bheachd gur ann spìocach a bha i. "Chan eil rian aig *cola bottle* beag no dhà cus cron a dhèanamh air rud cho cruaidh ri fiacail," bhiodh e ag ràdh rithe. Bha tòrr *fillings* aig Fionnlagh. Cha robh e fhèin a' tuigsinn carson.

Choisich na balaich timcheall air cùlaibh Oifis a' Phuist agus shuidh iad sìos air an fheur a' coimhead sìos an rathad mòr a dh'fhaicinn an robh sgeul air bhan Stogain. Bha blàths na grèine gan dèanamh cadalach agus bha na topagan a' seirm gu dòigheil os an cionn.

Fhad 's a bha iad nan suidhe chaidh an t-sìth a bhriseadh le fuaim einnsein; brùid de dh'einnsean. Nochd biast mhòr de chàr fada dubh le uinneagan dorcha timcheall a' chòrnair.

"A dhuine bhochd," arsa Sìm, "Am faca tu siud?"

Ruith an dithis aca sìos na b' fhaisg agus

stob iad an cinn timcheall air balla a bha rin taobh. Sheall iad le iongantas 's an càr spaideil a' tarraing a-steach air beulaibh Oifis a' Phuist agus a' stad.

"An dùil cò th' ann?" dh'fhaighnich Fionnlagh ann an guth sèimh.

"Chan eil rian nach e *Pop Star* no manaidsear buidheann ball-coise a th' ann co-dhiù," fhreagair Sìm. "Seall cho gleansach 's a tha an càr aige."

Bha na balaich a-mach à sealladh dràibhear a' chàir agus cha robh càil a dhùil aca gluasad gus am faiceadh iad cò bh' ann. 'S dòcha gun teicheadh an duine nam biodh e a' smaoineachadh gur e luchd-leantainn a bh' annta a chuireadh dragh air.

Dh'fhosgail doras a' chàir. Thàinig dà bhròig bhiorach, ghleansach a-mach le dà chois mhòr fhada às an dèidh. Cha mhòr gum b' urrainn dha Sìm agus Fionnlagh an anail a tharraing nan crùban air cùl a' bhalla. Lùb bodhaig an duine a-mach às a' chàr agus sheas e an-àird dìreach. Bha an duine uabhasach tana agus uabhasach àrd. Shaoil Fionnlagh nach robh rian nach robh e faisg air seachd troighean.

Bha falt dorch air an duine uaireigin, ged nach robh mòran dheth air fhàgail a-nis. Bha an rud beag a bha air fhàgail air na cliathaichean air a chìreadh tarsainn mullach a chinn. Cha robh Fionnlagh a' tuigsinn carson a bhiodh daoine maol a' dèanamh sin. An robh iad dha-rìribh a' smaoineachadh nach mothaicheadh daoine gun robh iad cho maol ri ugh air sgàth 's gun robh trì gaiseanan fuilt air an sguabadh bho chluais gu cluais?

Choisich fear nan gaisean a-null gu doras Oifis a' Phuist agus dh'fheuch e làmh an dorais.

Glaiste.

Sheall e mun cuairt air. Cha robh duine ri fhaicinn. Cha robh duine air an rathad. Cha robh e air mothachadh gun robh dà bhalach a' cumail sùil gheur air bho chùl a' bhalla. Choisich e a-null gu uinneag na bùtha agus sheall e a-steach oirre. Bha fios aig Fionnlagh gur ann ri taobh na h-uinneig a bha an t-airgead air a chumail. Choimhead an duine mun cuairt air aon uair eile agus choisich e timcheall a' chòrnair a-mach à sealladh nam balach. Bha uinneag eile timcheall air an taobh ud den bhùth.

Mu chòig diogan an dèidh dhan duine a dhol mun chòrnair, chuala Fionnlagh agus Sìm glainne a' briseadh.

Chlisg iad, sheall iad ri chèile, leum iad gun casan agus ruith iad mar am beatha.

"Cò dha... a... dh'innseas... sinn?" dh'èigh Fionnlagh, le anail na uchd. Bha e fhèin agus Sìm nan deann-ruith sìos an rathad.

"Chan eil dragh agam, ach feumaidh sinn innsea dha cuideigin mus fhaigh e air falbh leis an airgead, no mus..."

"No mus dè?"

"No mus tèid ar glacadh!" arsa Sìm le glug na ghuth.

"Ar glacadh?" arsa Fionnlagh. "Carson a bhiodh e ag iarraidh ar glacadh?"

"An ainm Sealbh, Fhionnlaigh. Ach cho tiugh sa cheann 's a tha thu. Nach eil fhios agad gum bi e ag iarraidh ar glacadh! Chan fhaca duine e a' tighinn ach sinne. Chan fhaca duine e a' dol suas chun an dorais ach sinne. Agus cha chuala duine an uinneag a' briseadh ach sinne.

Chan eil duine às an rathad air ach sinne. Agus ma gheibh e sinne a-mach às an rathad, gheibh e às leis! Eucoir gun fhianaisean!"

"Dè bhiodh e a' lorg a-staigh an siud co-dhiù?" dh'fhaighnich Fionnlagh.

"Chan eil fhios agam. Airgead a' pheinnsein? 'S dòcha airgead san tiol? Dh'fhaodadh gun robh 'fiosrachadh bhon taobh a-staigh' aige... 'Eil fhios agad? *Informant*. Dìreach mar ann a' filmichean nan spaidhs air an TBh."

"Ò, a dhuine bhochd!" arsa Fionnlagh agus aodann geal leis an eagal.

Bha iad air taigh Fhionnlaigh a ruighinn. Le rus, ruith iad a-steach dhan chidsin far an robh màthair Fhionnlaigh a' dèanamh sgonaichean.

"Dè fo ghrian nan speuran a tha sibh a' dèanamh?" dh'èigh i. "Cha mhòr nach do bhris sibh an doras!"

"Mam! Tha mèirleach air briseadh a-steach a dh'Oifis a' Phuist agus cha robh sgeul air Ciorstaidh agus bha càr mòr, dubh aige agus tha e a' dol a ghoid a' pheinnsein agus 's dòcha gun tèid ar marbhadh!" arsa Fionnlagh anns an aon anail.

"Cò air a tha thu a-mach?" thuirt a mhàthair, le uabhas. "Cha do thuig mi facal de na thuirt thu! Gabh air do shocair!" Shuath i gaisean de a falt dorch, curlach a-mach às a sùilean le làmh a bha làn min-fhlùir nan sgonaichean. Dh'fhàg e làrach gheal tarsainn air a maoil. Shuidh i sìos air stòl agus dh'inns Fionnlagh agus Sìm dhi a h-uile càil a bha air tachairt bho dh'fhàg iad taigh Shìm. Bha na deòir a' sruthadh bho shùilean Fhionnlaigh agus bha crith ann an guth Shìm.

An dèidh èisteachd ris an sgeulachd aca smaoinich màthair Fhionnlaigh mun a' chùis. Ged nach robh i buileach a' creidsinn an rud a bha iad ag ràdh, bha beachd aice gun robh bun na fìrinn ann am badeigin.

"Ceart, ma-thà," thuirt i. "Innsidh mi dhuibh dè nì mi. Fònaigidh mi gu Ciorstaidh a' Changain an-dràsta agus canaidh mi rithe sùil a thoirt dhan bhùth a dh'fhaicinn a bheil càil a-mach às àite." Agus le sin, dh'èirich i bhon stòl agus chaidh i suas dhan t-seòmar-suidhe airson fòn a chleachdadh.

Shuidh Sìm agus Fionnlagh sìos aig bòrd a' chidsin le glainne bainne an duine airson feuchainn rin anail fhaighinn air ais agus iad fhèin a stòineadh a-rithist. Bha a' chùis air a bhith cus dhaibh. Shuidh iad aig a' bhòrd gu sàmhach ag èisteachd ri màthair Fhionnlaigh a' bruidhinn air a' fòn anns an rùm eile. Cha robh fuaim sam bith anns a' chidsin ach srann a' frids agus an gual a' gabhail anns an stòbha.

Nuair a thàinig an gnog air an doras, cha mhòr nach deach na balaich à cochall an cridhe. Leum iad gu an casan agus sheall iad ri chèile. Thàinig an gnogadh a-rithist. Cha robh Fionnlagh cinnteach an e an doras a bh' ann an turas ud no a ghlùinean fhèin a' bragail ri chèile. Bha na balaich dìreach gus tòiseachadh ag argamaid mu dheidhinn cò bu chòir an doras fhosgladh nuair a thionndaidh làmh an dorais.

Nochd ceann timcheall air an doras agus sheall e ri na balaich. Sheall na balaich suas, suas gus am faca iad aodann an t-srainnseir. An uair sin leig iad sgreuch, thionndaidh iad agus ruith iad suas an staidhre.

'S e esan a bh' ann!

Bha e dorch a-staigh fon leabaidh. Bha seann dhèideagan ann cuideachd. Agus tòrr dust. Agus cha robh mòran rùm ann. Bha Sìm bochd gus a mhùchadh.

"An dùil na dh'fhalbh e fhathast?" arsa Sìm.

"Fuirich mionaid no dhà eile," thuirt Fionnlagh ris.

"A dhuine bhochd, tha sinn air a bhith a-staigh fon bhobhstair seo airson faisg air leth-uair a thìde. Dè cho fad 's as urrainn dhuinn falach co-dhiù? Uill, tha mise dol sìos an staidhre gur bith dè chanas tusa. B' àill leam eagal a' bhàis a bhith orm shìos an staidhre na cinnt a' bhàis bhon t-salchar leapa seo còmhla riutsa. Siuthad. A bheil thu a' tighinn?" Agus le sin, shlaod e e fhèin a-mach, a' bualadh a chinn air sprionga air an t-slighe. Gu diombach, thàinig Fionnlagh a-mach às a dhèidh.

"Ceart. Èistidh sinn aig doras an t-seòmair-suidhe. Cluinnidh sinn an uair sin dè tha tachairt gun a bhith gar cur fhìn ann an cus cunnairt," thuirt Fionnlagh, le beagan crith na ghuth.

Sìos gun do ghabh iad. Mus robh iad fiu 's air ruighinn doras a' chidsin, bha iad a' cluinntinn guth an t-srainnseir a' lachanaich agus gliong nan cupannan teatha air a' bhòrd. Sheall Fionnlagh agus Sìm ri chèile le iongantas. Bha an srainnsear na shuidhe a' còmhradh 's ag òl teatha còmhla ri màthair Fhionnlaigh!

"Fhionnlaigh? Dè mu dheidhinn a thighinn a-steach còmhla rinn an àite a bhith a' snàgail timcheall a-muigh an sin?" dh'èigh a mhàthair ris.

Choisich Fionnlagh agus Sìm a-steach dhan chidsin gu liugach.

"'Eil cuimhn' agad air Dol-Angaidh," ars a mhàthair ris.

Cha mhòr nach do dh'fhanntaig Fionnlagh.

"Dol-Angaidh?" dh'èigh e. "'S tusa am mèirleach!"

"Mèirleach? A dhuine bhochd, cò air a tha thu a-mach?" thuirt Dol-Angaidh, a' lachanaich. Cò air idir a tha thu a-mach?"

"Ach... ach... chunnaic sinn thu a' briseadh a-steach a dh'Oifis a' Phuist"

"Ist, a bhubhaileir!" arsa Dol-Angaidh, "Cò às a tha thu a' faighinn nan sgeulachdan mòra faoin a tha sin?"

"Uill, chuala sinn thu a' briseadh na h-uinneig," thuirt Sìm.

"Chuala sibh mi a' briseadh botal. Nuair a bha mi a' toirt sùil a-steach air an uinneig a dh'fhaicinn an robh Ciorstaidh a' Changain a-staigh, bhreab mi botal a bha na sheasamh air an staran agus bhris e."

Diardaoin - 14:45

B' ann gu math gòrach a bha na balaich a' faireachdainn nuair a thill iad a-mach dhan ghàrradh. Choisich iad seachad air an t-sreang-aodaich agus a-steach dhan bhàthaich far an robh fàradh suas dhan lobht. Bha iad a' cleachdadh na lobhta mar nàdar de bhothan. Bha e làn sheann phìoban, pocannan *beet pulp* airson nan caorach agus bha na balaich air bèilichean feòir a sheatadh timcheall na lobht a mar shuidheachain.

Shuidh iad sìos gun fhacal a ràdh ri chèile.

B' e Sìm a bhruidhinn an toiseach.

"Buamastair!" ars esan.

"Cò? Mise?" dh'èigh Fionnlagh. "Chan e mise a thòisich a' cabadaich mu dheidhinn mhèirlich agus spaidhs!"

"Cha b' e," fhreagair Sìm, "Ach mura bitheadh tu, cha bhiodh sinn air a dhol faisg air Oifis a' Phuist anns a' chiad àite."

Thòisich fearg ag èirigh ann an guth Fhionnlaigh.

"'S e do choire fhèin a th' ann gu bheil thu a' faireachdainn gòrach 's tu a' lìonadh do chinn le sgeulachdan faoin às na filmichean a tha thu a' coimhead a h-uile mionaid dhe do bheatha!"

"An e sin do bheachd?" dh'èigh Sìm, 's e ag èirigh gu chasan.

"'S e sin mo bheachd!" fhreagair Fionnlagh, 's e fhèin ag èirigh.

"Ceart!" arsa Sìm.

"Ceart!" thuirt Fionnlagh, agus le sin thill Sìm sìos am fàradh le cabhaig agus a-mach às a' bhàthaich, a' stampadh a chasan agus fearg air aodann.

"Càit a bheil thu dol?" dh'èigh Fionnlagh às a dhèidh.

"Fada air falbh bhuatsa!" fhreagair Sìm, agus suas an staran gun do ghabh e agus sìos an rathad le stùirc air a chuireadh eagal ort.

B' ann gu math busach a bha Fionnlagh fhèin nuair a thill e a bhroinn an taighe. Dhùin e an doras le brag agus ghabh e a-steach, seachad air a mhàthair agus Dol-Angaidh (a bha fhathast a' còmhradh sa chidsin), a-mach tron t-sèomar-suidhe agus suas an staidhre dhan rùm-cadail aige.

Dh'èigh a mhàthair às a dhèidh.

"'Eil càil ceàrr, Fhionnlaigh? Na dh'fhalbh Sìm?"

"Dh'fhalbh," arsa Fionnlagh, "agus 's beag mo dhragh!"

'S e breug a bha sin gun teagamh, agus bha fios aige fhèin air. Bha fios aig a mhàthair cuideachd, ged nach do leig i oirre. Thilleadh e sìos an staidhre nuair a bhiodh e deiseil air a shon agus chluinneadh i an sgeulachd bhuaithe an uair sin.

Shuidh Fionnlagh air an leabaidh. 'Abair caraid,' thuirt e ris fhèin 's na deòir a' sruthadh sìos aodann. Cha robh cuimhne aige air àm sam bith gu ruige seo far an robh e fhèin agus Sìm air a dhol a-mach air a chèile. Uill... a bharrachd air an turas ud a ruith Sìm às dèidh Fhionnlaigh le spàin fhiodh nuair a bha iad ceithir bliadhna a dh'aois. Ach a bharrachd air an sin, bha na balaich an-còmhnaidh air a bhith rèidh ri chèile.

Bha Fionnlagh a' fàs an-fhoiseil. Sheas

e agus thug e sùil a-mach air an uinneig. Às aonais Shìm, cha robh e buileach cinnteach dè dhèanadh e leis fhèin. Dh'fhosgail e doras an rùm agus choisich e a-null gu bàrr na staidhre. Bha e a' cluinntinn guthan a mhàthar agus Dhol-Angaidh fhathast a' tighinn bhon chidsin. Thug e sùil tro dhoras an t-seòmair-cadail ri taobh fhear fhèin. B' àbhaist dha a bhith falamh (cho robh piuthar no bràthair aig Fionnlagh idir) ach an-diugh bha baga mòr, dubh agus màileid bheag leathair nan laighe ri taobh na leapa. 'S iongantach mura robh Dol-Angaidh a' fuireach latha no dhà. Cha robh Fionnlagh buileach toilichte mu dheidhinn seo. Cha robh cus earbs' aige ann an Dol-Angaidh fhathast.

Thàinig smuain thuige.

Thug e sùil timcheall air.

Mus robh fios aige buileach dè bha e a' dèanamh, bha a làmh a' sìneadh a-mach agus a' greimeachadh air làmh baga Dhol-Angaidh.

CAIBIDEIL 5

Diardaoin - 15:20

Le crith na làimh, shlaod e thuige baga Dhol-Angaidh. Bha fios aige nach robh gnothaich aige a dhol faisg air, ach bha rudeigin ann an inntinn Fhionnlaigh nach robh airson am beachd gur e droch isean a bha na Uncail a leigeil às.

Bha a chridhe a' bragail mar gum biodh cuideigin a' feuchainn ri briseadh tro asnaichean le òrd mòr. Ghreimich e air siop a' bhaga agus thòisich e ga fhosgladh. Bha fuaim a' siop a' lìonadh an rùm, agus mar bu shlaodaiche a bha Fionnlagh a' gluasad a' siop, 's ann a bu mhotha a bha e a' dèanamh de dh'fhuaim. Bha Fionnlagh cinnteach gun cluinneadh a mhàthair e anns a' chidsin. Bha Fionnlagh gu math eòlach air cumhachd claisneachd a mhàthar. Chan e mhàin gun cluinneadh i na

31

rudan a bha e a' dèanamh, ach chluinneadh i fiù 's na rudan a bha e a' smaoineachadh air a dhèanamh. Boireannach iongantach. Cluasan iongantach cuideachd.

Bha a' siop mu thrì òirlich fosgailte a-nis. Cha mhòr nach fhaiceadh Fionnlagh a-steach a bhroinn a' bhaga. Sgaoil gach taobh den siop o chèile mar fhear a' dèanamh gàire. Airson diog ghabh e air coltas aodann Dhol-Angaidh. Thuit boinneag fallais sìos o bhàrr a shròin. Dìreach bìdeag eile...

"Fhionnlaigh! 'Eil thu ceart gu leòr shuas an sin?"

"Aaaaaah! ...th... th... th... tha! Tha mi ... uh ... ceart gu leòr! Uh... Tha! ... Tapadh leibh! ... Mam!"

"Uill, thig a-nuas ann am mionaid. Tha sgonaichean agam air a' bhòrd ma tha thu ag iarraidh tè!" ars a mhàthair.

Dhùin a mhàthair doras an t-seòmair-suidhe agus leig Fionnlagh a-mach anail le osna. Bha fallas air braonadh a-mach air feadh aodainn a-nis mar gum biodh e air a bhith a-muigh ann am fras uisge.

Thug e sùil eile air a' bhaga. Rinn am baga gàire air ais.

"Ceart," arsa Fionnlagh ris fhèin. "Seo an t-àm. Bàs no urram."

Agus le sin, thuit e gu ghlùinean agus ann an aon ghluasad luath, tharraing e a' siop timcheall air a' chòrr den bhaga. Cha do rinn e leth-uimhir de dh'fhuaim 's a rinn e nuair a bha e a' feuchainn ri dhèanamh gu sàmhach. Le làmh chritheanach, dh'fhosgail e am baga.

'Nise... dè th' againn an seo...,' thuirt Fionnlagh ris fhèin, 's e a' toirt sùil na bhroinn.

'Dà bhriogais dhubh... geansaidh... stocainnean... dratharsan... stocainnean eile... trì lèintean... agus baga toidhleit. An e sin e?'

Bha Fionnlagh bochd a' faireachdainn buileach gòrach a-nis, na shuidhe an sin a' coimhead ri drathars uncail! Ann an dòigh bha e air a ghonadh nach robh càil anns a' bhaga a dhearbhadh gur e mèirleach no rudeigin a bh' ann an Dol-Angaidh. Uill, 's math a b' fhiach dèanamh cinnteach co-dhiù. Cò aig a bha fios an robh e ag innse na fìrinn mu dheidhinn a' bhotail a chaidh a bhriseadh? Cha robh inbhich an-còmhnaidh ag innse na fìrinn; bha fios aige air an uimhir sin.

Smaoinich Fionnlagh an uair sin air na sgonaichean a bha a mhàthair air ullachadh.

Chumadh iad sin inntinn bho rudan gòrach mar mèirlich, spaidhs agus spùinneadairean. Dhèanadh a mhàthair sgona-àbhainn cho math ri duine air thalamh. Dhùin e am baga a-rithist gu faiceallach a' dèanamh cinnteach nach do dh'fhàg e stocainn no càil eile air an làr a shealladh gun robh e air a bhith a' sporghail na bhroinn. Phut e am baga air ais ri taobh na leapa far an robh e air a bhith na laighe agus chuir e a' mhàileid leathair na sìneadh air ais ri thaobh. Sheas e agus choisich e a-null chun an dorais.

Chuir rudeigin stad air 's e dìreach a' cur car de làmh an dorais. Sheall e air ais air a chùlaibh. A' mhàileid... an dùil am b' fhiach sùil a thoirt an sin cuideachd?

"Na bi cho faoin, 'ille...," arsa Fionnlagh ris fhèin.

Ach bha pàirt de dh'Fhionnlagh nach robh deònach fhàgail gun sùil a thoirt. Ann an tiotan, bha e air ais na chrùban air an làr 's a làmh air a' mhàileid.

Diardaoin - 15:27

Bha a' mhàileid gu math trom, ged a bha i beag. Thog Fionnlagh i agus chuir e i na sìneadh air an leabaidh. Thug e sùil aithghearr air a chùlaibh airson dèanamh cinnteach gun robh e na aonar. Nuair a bha e cinnteach nach robh duine sam bith eile mun cuairt, dh'fhosgail e a' mhàileid.

Bha a' mhàileid loma làn airgid.

Chan fhaca Fionnlagh uimhir de dh'airgead ach dà uair roimhne sin; a' chiad uair air an telebhisean agus an dara uair ann am bruadar, agus mar sin cha robh fear seach fear a' cunntadh. Bha na mìltean de notaichean ann, ann am badan tiugha le bannan pàipeir timcheall air gach fear.

Cho luath 's a rinn e càil a-riamh na bheatha, stob e fear de na badan airgid na phòcaid agus dhùin e a' mhàileid. Ruith e air ais sìos an staidhre, tron t-seòmar-suidhe, tron chidsin, seachad air Dol-Angaidh agus a mhàthair agus sìos an leathad mar pheilear gu taigh Shìm.

"Dè a' chabhag a th' ort a-nis?" dh'èigh a mhàthair. Ach cha robh guth aig Fionnlagh air càil ach taigh Shìm a ruighinn.

Le anail na uchd, thug Fionnlagh brag an dèidh brag air an doras. An ceann mionaid no dhà, nochd Sìm agus dh'fhosgail e an doras.

"Dè tha thusa ag iarraidh?" thuirt Sìm gu greannach.

"Bha sinn ceart! Bha sinn ceart!" arsa Fionnlagh, a' pìochail mar sheann bhodach.

"Eh? Ceart mu dheidhinn dè?"

"Dol-Angaidh!" thuirt Fionnlagh. "'S e rògaire a th' ann!"

"Ò, na tòisich air an seo a-rithist. Thug thu orm a bhith a' coimhead gòrach gu leòr o chionn dà uair a thìde. Nach robh sin gu leòr dhut?"

"Ach tha dearbhadh agam an turas seo! Seall!" Agus le sin, shlaod Fionnlagh am bad airgid a-mach às a phòcaid agus chrath e ann an aodann Shìm e.

Cha mhòr nach do leum sùilean Shìm a-mach às a cheann. Ghlac e geansaidh Fhionnlaigh na làimh, shlaod e a-steach dhan phoirds e agus dhùin e an doras air a chùlaibh le brag.

"Càit an d' fhuair thu sin?" thuirt Sìm 's e gus a ghuth a chall.

"Bha e ann am màileid Dhol-Angaidh," arsa Fionnlagh.

"Eh? Chan eil rian nach eil mìle not ann an sin!" thuirt Sìm.

"Aidh, agus tha mi cinnteach gu bheil timcheall air fichead eile dhiubh fhathast anns a' mhàileid," thuirt Fionnlagh.

"DÈ?"

"Chuala tu mi."

"Dè tha sinn dol a dhèanamh?" arsa Sìm gu cabhagach.

"Uill, feumaidh sinn a dhol gu na poilis," arsa Fionnlagh. "Nach fheum?"

"'Eil thu às do chiall?" dh'èigh Sìm. "Tha thu dìreach an dèidh mìle not a ghoid bho d' uncail 's tha thu am beachd a dhol gu na poilis!"

"Ò. Cha do smaoinich mi air an sin."

"Chan eil thu a' smaoineachadh cus mu dheidhinn càil sam bith," arsa Sìm. "'S math gu bheil mise an seo airson do chumail ceart!"

Choisich an dithis aca gu critheanach tron taigh gus an do ràinig iad rùm Shìm. Bha postairean James Bond air na ballachan agus bha an làr 's an leabaidh làn aodaich agus geamaichean coimpiutair. Shad Sìm tiùrr sgudail bhon leabaidh agus shuidh an dithis aca an sin a' coimhead ris a' bhad airgid.

"Uill, ma-thà," arsa Fionnlagh. "Dè nì sinn a-nis?"

"Feumaidh sinn plana," arsa Sìm.

"Ò! 'S math gu bheil thu ann!" arsa Fionnlagh gu tàireil. "Tha fios agam gum feum sinn plana! Ach a bheil nàdar de phlana a' tighinn thugad?"

Chaidh an rùm sàmhach a-rithist.

Sheall Sìm ris an stuth a bh' air an làr. Thog e a shùilean chun na leapa. Sheall e air ais 's air adhart. Plana... plana... plana... sheall e suas. Bha James Bond a' coimhead sìos air le deise dhubh agus gleansa à fhiaclan.

"*Bingo*," arsa Sìm, le gàire.

Diardaoin - 16:02

"Ceart ma-thà. A-mach leis," arsa Fionnlagh.

"Dè bh' ann an James Bond?" dh'fhaighnich Sìm.

"Uill, 's e caractar ann an leabhraichean agus filmichean a..."

"Aidh, aidh," thuirt Sìm gu mì-fhoighidneach, "ach dè bh' ann?"

"Ummm... uill 's e seòrsa de spaidh a bh' ann..." thòisich Fionnlagh.

"Ah-ha! Dìreach! Spaidh!" thuirt Sìm.

"Ò! Seadh. Aidh," arsa Fionnlagh, a' gnogadh a chinn.

"'Eil thu a' tuigsinn...?" dh'fhaighnich Sìm.

"Chan eil idir," arsa Fionnlagh, a-nis a' crathadh a chinn.

Rinn Sìm osna mhòr.

"Feumaidh sinn sùil gheur a chumail air Dol-Angaidh. 'Eil fhios agad? *Surveillance*? An uair sin, nuair a tha sinn air gu leòr fiosrachaidh a chruinneachadh, faodaidh sinn a chur ann am parsail gu na poilis gun ainm air, agus mar sin chan fhaigh sinne ann an trioblaid sam bith!"

"A Shìm, tha sin dìreach sabhaidh!" arsa Fionnlagh.

Bha amharas aig Fionnlagh nach biodh cùisean buileach cho sìmplidh ri sin. Ach seach nach robh plana na b' fheàrr aige fhèin bha cho math dhaibh cumail orra. Thòisich iad sa bhad a' cruinneachadh nan stuthan a dh'fheumadh iad airson am plana a thoirt gu buil.

Thill Fionnlagh chun an taighe aige fhèin le liosta a bha e fhèin agus Sìm air a chur ri chèile. Dhòirt e a-mach na bha na bhaga-sgoile agus thòisich e ga lìonadh leis an stuth bhon liosta.

1. Leabhar airson notaichean.

Bha seann leabhar-sgrìobhaidh aig Fionnlagh sa chlòsaid a bha e air toirt dhachaigh aig deireadh na bliadhna-sgoile. Cha robh ach aon duilleag air a lìonadh. Reub e sin a-mach agus sgrìobh e FIANAIS aig mullach duilleag ùr ann am peansail dearg.

2. Aodach dubh

Fhad 's a bha e a' sporghail anns a' chlòsaid, shlaod e a-mach rud sam bith a lorgadh e a bha dubh. A bhriogais-sgoile, seann gheansaidh clòimhe a bha antaidh air fhighe dha aon Nollaig agus na brògan gleansach, dubha a bhiodh air anns an eaglais. Bha fios agus cinnt aige gun deigheadh a mhàthair glan às a rian nuair a gheibheadh i a-mach mu dheidhinn nam brògan, ach cha robh càil air a shon. Co-dhiù, nam faigheadh iad duais airgid bho na poilis airson an cuid obrach, dh'fhaodadh e ceannach na bha e ag iarraidh de bhrògan.

3. Prosbaig

Thill e air ais sìos an staidhre agus dh'fhosgail e doras a' phoirds. Ann an sin, ri taobh na h-uinneig, bha prosbaig athar. Uill, ged as e prosbaig athar a bh' ann, 's e a mhàthair a bu mhotha a bha ga cleachdadh. Cha robh duine a' tarraing anail anns an sgìre gun fhios dhìse. Bha Fionnlagh fhèin den bheachd gun robh a comas fradhairc cho math 's nach robh càil a dh'fheum aice air prosbaig, agus mar sin bha e cinnteach gun dèanadh i a' chùis às a h-aonais airson greiseag. Chuir e a' phrosbaig dhan bhaga-sgoile còmhla ris na rudan eile agus chuir e am baga a-mach air an uinneig far an togadh e a-muigh a-rithist e, gun fhios nach robh a mhàthair anns a' chidsin.

4. Ròpa

Bha am fear seo a' dèanamh beagan dragh do dh'Fhionnlagh. Cha smaoinicheadh e air aon shuidheachadh far am biodh e deònach ròpa a chleachdadh airson rud sam bith, ach bha e follaiseach gun robh Sìm den bheachd gum biodh feum aca air fear.

Cha robh trioblaid sam bith aige ròpa a lorg.

Thug e leis a bhaga bho thaobh a-muigh a' phoirds agus chaidh e air ais suas gu lobht na bàthaich far an robh e fhèin agus Sìm air a bhith na bu thràithe. Chan e a-mhàin gum biodh an dithis bhalach a' cluich ann an sin, b' e sin cuideachd an t-àite far am biodh athair Fhionnlaigh a' cur an sgudail gun fheum a bha e a' ceannach ann am bùth Highland Crofting Supplies. Bha an lobht loma-làn phocannan plastaig agus gach fear dhiubh làn le measgachadh de bhòtannan, tarraigean, tagan chaorach agus ròpa naidhlean gorm. Cha do thuig Fionnlagh a-riamh carson a bha athair a' ceannach na bha siud de ròpa. 'S dòcha gun robh iad a' toirt dhut rud an-asgaidh a h-uile uair a dheigheadh tu a-steach?

Thug e grunn shlatan dheth agus a-steach dhan bhaga leis. Dh'fhàg e am baga anns a' bhàthaich agus thill e dhan taigh.

5. Toirds agus fòn-làimhe

Air ais dhan a' chidsin. Cha robh sgeul air a mhàthair no air Dol-Angaidh. 'S dòcha gun deach iad a-steach a chèilidh air antaidh an-ath-dhoras. Glè mhath. Bha sin a' dèanamh na cùis na b' fhurasta. Chaidh e a-steach dhan phreas ri taobh an t-sinc agus thug e a-mach an toirds beag uaine a cheannaich e fhèin le airgead a cho-là-breith. Cha robh mòran cumhachd ann, ach dhèanadh e a' chùis.

An uair sin chaidh e a-null chun an dorais far an robh fòn-làimhe athar na laighe. Rinn e ùrnaigh bheag ag iarraidh maitheanas agus chuir e na phòcaid i. Cha robh dòigh air ais ann a-nis. Thill e dhan bhàthaich airson a' phoca agus leag a shùil air roile *duct tape*.

Thog e sin cuideachd. Bha an stuth ad an-còmhnaidh feumail, fiu 's airson spaidhs.

Chuir e am poca air a dhruim agus rinn e a shlighe air ais sìos gu taigh Shìm le a chogais ga bhuaireadh.

Shuidh na balaich air leabaidh Shìm.

"An d' fhuair thu a h-uile càil?" dh'fhaighnich Sìm.

"Fhuair, ach thèid mo mhurt nuair a ghlacas mo mhàthair mi," thuirt Fionnlagh.

"Na gabh dragh mun sin," arsa Sìm. "Bidh sinn nar gaisgich an uair sin agus 's ann a bhios i taingeil gun do chuidich i ann a bhith a' cur às de dh'olc anns an t-saoghal."

Cha robh Fionnlagh buileach cinnteach mu dheidhinn sin. 'S dòcha nach robh Sìm cho eòlach air a mhàthair 's a bha e fhèin.

"Dè a-nis, ma-thà?" dh'fhaighnich Fionnlagh.

"Uill, feumaidh sinn d' uncail a leantainn. Cuiridh mi geall gur ann tron oidhche a nì e obair. Fuirichidh sinn anns a' bhàthaich agad a-nochd agus gabhaidh sinn turas mu seach a' cumail sùil a-mach."

"'Eil thu às do chiall?" dh'èigh Fionnlagh. "Chan eil dòigh air thalamh a leigeas mo phàrantan dhomh cadal anns a' bhàthaich!"

"Aidh," fhreagair Sìm. "Ach leigidh iad dhut fuireach aig an taigh agamsa."

Thug Fionnlagh sùil gheur air Sìm.

"Dè tha thu a' ciallachadh?"

"Cuir fòn dhachaigh an-dràsta agus faighnich am faod thu fuireach an seo a-nochd, agus faighnichidh mise dham mhàthair-sa am faod mi fuireach aig an taigh agadsa. An uair sin bidh ar pàrantan a' smaoineachadh gu bheil sinn aig taighean a chèile, ach 's ann a bhios sinn anns a' bhàthaich agadsa a' cumail sùil air gluasadan Dhol-Angaidh!"

Chaidh gaoir tro chorp Fhionnlaigh. Dh'fheumadh e aideachadh gur e plana math a bh' ann, ach gun teagamh sam bith dheigheadh a mhàthair glan às a reusan nam faigheadh i a-mach. Mar a bu doimhne a bha na balaich a' dol dhan chùis, 's ann a bu mhotha de dh'eagal a bha air Fionnlagh.

Co-dhiù, cha robh càil air a shon. Chaidh Sìm a dh'iarraidh a' fòn às a' chidsin agus thug e do dh'Fhionnlagh e. Fhad 's a bha e a' putadh a-steach nan àireamhan, bha e an dòchas nach biodh a mhàthair air tilleadh bho thaigh antaidh fhathast. Bha a làmhan fliuch le fallas. Chuir a stamag car nuair a thàinig freagairt bho cheann eile na loidhne.

"Hallò?"

"Hi, Mam. Mise th' ann."

"Dè tha gad fhàgail a' fònadh an seo? Càit a bheil thu co-dhiù?"

"Tha mi shìos aig taigh Shìm," arsa Fionnlagh. "A bheil e OK ma dh'fhuiricheas mi ann an seo a-nochd?"

"Bha dùil agam gun deach sibh a-mach air a chèile?"

"Uill, chaidh," arsa Fionnlagh, "ach tha sinn rèidh a-rithist a-nis."

"Cha tug siud fada!" ars a mhàthair le gàire. "Tha e ceart gu leòr leamsa ma tha màthair Shìm deònach. An tug i dhut cuireadh?"

"Ò... uh... thug, thug! Tha i cho toilichte 's a ghabhas!"

"Uill, nuair a thig thu suas airson do dhinneir thoir leat do *phyjamas*, do bhruis-fhiaclan agus drathars ghlan. Cuiridh mi iad ann am poc' dhut shuas an staidhre."

"Tapadh leat, Mam!" arsa Fionnlagh, agus le sin chuir e sìos a' fòn.

Chaidh Sìm a-mach a dh'fhaighneachd dha mhàthair-san am faodadh e fuireach aig taigh Fhionnlaigh. Dh'fhàg e Fionnlagh anns an t-seòmar-cadail. Bha a chogais a' dèanamh dragh mòr dha a-nis. Bha an liosta pheacaidhean a' fàs na b' fhaide gach mionaid; ag inns nam breug, a' goid, a' toirt a' char às a mhàthair fhèin. Cha robh crìoch oirre.

Thòisich Fionnlagh ag ùrnaigh.

"A Dhè ghràsmhor, thoir maitheanas dhomh airson nan rudan a leanas:

1. A h-uile càil a rinn mi na bu thràithe an-diugh a bha ceàrr.

2. A h-uile càil a tha mi a' dèanamh an-dràsta fhèin a tha ceàrr.

3. A h-uile càil a tha mi an dùil a dhèanamh a-nochd a tha ceàrr.

4. Gu bheil mi fhathast a' dol a dhèanamh a h-uile gin dhiubh sin, fiù 's ged a tha iad ceàrr..."

Dìreach mus do sguir e, chuir e a-steach,

"...agus na leig le mo mhàthair mo mharbhadh nuair a gheibh i a-mach. Oir feuchaidh i. Amen."

Dh'fhosgail an doras agus thill Sìm dhan rùm.

"Tha sinn 'deiseil is deònach'!" ars esan, le gàire.

Bha e dubh dorch shuas ann an lobht na
bàthaich. Bha an latha air a bhith gu math
blàth, ach a-nise, faisg air meadhan-oidhche,
bha Fionnlagh gus a ragadh leis an fhuachd.
Bha sgòthan dorcha air a' ghealach fhalach. A
bharrachd air srann shocair a bha a' tighinn
bho Shìm, cha robh fuaim ri chluinntinn ach
seirm isean no dhà a bha fhathast nan dùisg
dìreach mar a bha Fionnlagh fhèin. Bha fàileadh
nam bèilichean feòir agus biadh nan caorach
air sùghadh a-steach dhan aodach aige agus bha
an dust a' dèanamh a chraicinn tachaiseach.

Bha iad air a bhith shuas an siud airson
dà uair a thìde. An dèidh dha na balaich an
dinnear a ghabhail aig na taighean aca fhèin
(agus an dèidh dha Fionnlagh làn a bhroinn
de bhreugan eile innse, nam measg, ag ràdh

ri athair nach robh càil a dh'fhios aige càit an robh a' fòn-làimhe aige), thug gach duin' aca am pocannan-oidhche leotha agus thug iad a chreids' gun robh iad air an t-slighe gu taigh a' bhalaich eile.

Choinnich iad a chèile ann am bothan beag a bha iad air a thogail am measg nan craobhan air cùl taigh aon de na nàbaidhean aca, agus dh'fhuirich iad an sin gus an do thòisich an dorchadas a' tuiteam. Shreap iad an uair sin suas am fàradh ann am bàthach Fhionnlaigh agus dh'fhosgail iad an doras àrd a bhithte a' cleachdadh airson feur agus stuthan eile a chur a-steach dhan lobht. Shuidh iad ann an sin còmhla airson greiseag gus, mu dheireadh, an do thuit Sìm na chadal, a' fàgail Fhionnlaigh mar a bha e an-dràsta.

Thòisich Fionnlagh a' smaoineachadh mu dheidhinn cho gòrach 's a bha an suidheachadh seo; am falach sa bhàthaich, esan na dhùisg agus Sìm na chadal ri thaobh air an làr, a' feitheamh 's a' feitheamh airson gluasad fhaicinn bhon taigh. Gluasad air choreigin a shealladh dhaibh gun robh Dol-Angaidh an sàs ann an gnothaichean olc. Dh'fhaodadh gun robh Dol-Angaidh na shuain chadail an-dràsta!

Cò aig a bha fios an nochdadh e idir! An robh e fhèin 's Sìm a' dol a dh'fhuireach an-àird fad na h-oidhche a h-uile h-oidhche gus an glacadh iad e a' dèanamh rud nach bu chòir dha? Amaideas!

Bha e a' dèanamh deiseil airson a dhol na shìneadh air an làr ri taobh Shìm nuair a chuala e 'cliog' a' tighinn bho dhoras-cùil an taighe. Thog e prosbaig athar gu shùilean airson faicinn dè bha a' tachairt.

Bha e duilich càil idir fhaicinn anns an dorchadas, ach bha Fionnlagh a' dèanamh a-mach faileas cuideigin àrd, caol a' tighinn a-mach às an taigh. Bha e a' gluasad gun fhuaim, mar chat. Ghluais am faileas mar thaibhs a-null gu càr Dhol-Angaidh; an càr fada, gleansach, dubh a chunnaic na balaich shìos aig Oifis a' Phuist na bu thràithe air an latha.

Chrùb Fionnlagh agus phut e Sìm.

"Hmmm... Dè?... Huh?" arsa Sìm.

"Ssssshhh!" thuirt Fionnlagh. Lean sùilean Shìm corrag Fhionnlaigh agus chunnaic e an duine a' coiseachd a-null chun a' chàir.

"Dol-Angaidh!" ars esan ann an guth ìosal. "Tha e a' gluasad!"

"Dè nì sinn a-nis?" dh'fhaighnich Fionnlagh.

"Tugainn sìos agus feuchaidh sinn ri leantainn!" fhreagair Sìm.

Chrom na balaich sìos am fàradh agus crith nan làmhan. Bha iad a' feuchainn fad na h-ùine gun bualadh ann an càil air an t-slighe a dhèanadh fuaim 's a dh'innseadh dha Dol-Angaidh gun robh iad ann.

Nuair a sheall iad a-mach air doras ìosal na bàthaich, chunnaic iad Dol-Angaidh a' fosgladh a' chàir, gun fhuaim 's gun sholas.

"Tha mi 'n dòchas nach eil e a' toirt leis a' chàir, no chan fhaigh sinn air a dhol às a dhèidh," arsa Sìm.

Dh'fhosgail doras a' chàir, ach an àite a dhol a-steach, 's ann a thill Dol-Angaidh air ais chun an taighe.

"Dh'fhàg e rudeigin am broinn an taighe! Seo ar cothrom!" arsa Sìm gu cabhagach. "Ruith!"

"Ruith?" arsa Fionnlagh. "Ruith càite?"

"A-steach dhan t-suidheachan-cùil! Luath! Agus na dìochumhnich do bhaga!"

Thog Fionnlagh am baga aige gu ghualainn agus ruith an dà bhalach air an corra-biod a-null gu càr Dhol-Angaidh agus leum iad a-steach dhan deireadh. Chrùb iad sìos anns an dà shlag air cùl nan suidheachan-toisich a' feuchainn gun anail a tharraing, agus bha iad dìreach ann an tìde.

Mus robh iad air a bhith ann leth-mhionaid, thill Dol-Angaidh is baga aige. Shad e am baga air an t-suidheachan-toisich: màileid an airgid! Dhùin an doras gu socair is chuala na balaich ceumannan Dhol-Angaidh a' dol timcheall a' chàir gu suidheachan an dràibheir agus lùb e an uair sin a bhodhaig fhada a-steach dhan chàr. Chuir e car den iuchair agus bheothaich an t-einnsean. Gun na solais a chur air, thòisich Dol-Angaidh a' dràibheadh suas an leathad chun an rathaid anns an dorchadas.

Ann an cùl a' chàir sheall na balaich ri chèile le uabhas. Bha na h-aodainn aca geal leis an eagal. Bha iad glacte anns a' chàr! Ge b' e càit an robh Dol-Angaidh a' dol, bha Sìm agus Fionnlagh a' dol còmhla ris a-nis, 's cha robh taghadh aca sa chùis!

Bha a h-uile seòrsa rud a' dol timcheall ann an inntinn Fhionnlaigh a-nis. Càit an robh Dol-Angaidh gan toirt? Dè thachradh nan deigheadh an lorg? Am b' urrainn dhaibh cumail sàmhach agus falaichte fada gu leòr gu ruigeadh Dol-Angaidh an t-àite don robh e a' dol? Am faigheadh iad a-mach às an staing seo lem beatha?

Cha robh an càr a' gluasad ro luath idir; cha robh Dol-Angaidh air solais a' chàir a chur thuige fhathast agus bha e ro dhorch airson a dhol luath. Ach bha iad fhathast a' gluasad ro luath airson na dorsan fhosgladh agus leum a-mach gun a bhith air an droch ghoirteachadh. Co-dhiù, ghlacadh Dol-Angaidh iad an uair sin gun thrioblaid sam bith. Cha robh càil air a shon ach fuireach gus am faiceadh iad càit an stadadh iad.

Cha robh fada aca ri feitheamh. An ceann beagan mhionaidean (ged a dh'fhairich iad e mar làithean) stad Dol-Angaidh an càr agus leum e a-mach, a' fàgail an dorais fosgailte agus an t-einnsean a' dol. Shèid gaoth fhuar a-steach air an doras a' toirt leatha fàileadh na mara, agus chuala na balaich dìosgail agus sgrìobadh meatailte. Bha Dol-Angaidh a' fosgladh seann gheata. Thill e dhan chàr, chaidh e air adhart beagan agus leum e a-mach a-rithist airson an geata a dhùnadh. An turas seo, nuair a thòisich an càr a' gluasad, dh'aithnich na balaich gun robh iad a-nise air seann rathad garbh, làn de thuill. Bha an càr a' buiceil agus a' leumadaich mar a bha e a' dol air adhart. Thionndaidh Dol-Angaidh a' chuibhle, chaidh an càr a-null air an fheur agus stad iad.

Chaidh a h-uile càil sàmhach a-rithist nuair a thionndaidh Dol-Angaidh an iuchair agus bhàsaich fuaim an einnsein. Shuidh Dol-Angaidh an sin airson mionaid a' coimhead a-mach air an uinneig. Ghabh e anail mhòr agus leig e às i gu slaodach, mar gum biodh e a' dèanamh deiseil airson rudeigin cudromach. Cha b' urrainn dha na balaich anail idir a tharraing gun fhios nach dèanadh iad fuaim.

Dìreach an uair sin, chrùb Dol-Angaidh a-null agus shìn e a làmh eadar na suidheachain-toisich, a chorragan fada a' sgaoileadh a-mach airson greimeachadh air rudeigin. Dh'fhairich Fionnlagh a mheuran a' sguabadh seachad air fhalt agus chaidh fhuil fuar airson diog. Chùm Dol-Angaidh air a' sìneadh agus ag osnaich gu socair gus, mu dheireadh, an do bhean a chorragan ann an seacaid leathair a bha na laighe air an t-suidheachan-deiridh. Shlaod e an t-seacaid eadar na suidheachain agus dh'fhairich na balaich an t-seacaid a' sguabadh tarsainn air an cinn agus fàileadh an leathair ùir. Fhathast, cha do rinn iad fuaim sam bith.

Chrùb Dol-Angaidh a-mach às a' chàr, chuir e air a sheacaid leathair agus chuir e iuchair a' chàir na phòcaid. Chaidh e timcheall air beulaibh a' chàir, dh'fhosgail e an doras-toisich eile agus thog e a' mhàileid bhon t-suidheachan. Dhùin an doras air a chùlaibh le brag a thug air na balaich clisgeadh. Chuala iad fuaim casan Dhol-Angaidh a' gluasad air falbh bhon chàr agus mu dheireadh bha cothrom aig na balaich anail cheart a tharraing agus bruidhinn ri chèile a-rithist.

"Dè fo ghrian a nì sinn a-nis?" thuirt Fionnlagh ann an guth èiginneach.

"Uill, chan urrainn dhuinn fuireach ann an seo!" arsa Sìm. "Dh'fhaodadh e tilleadh uair sam bith! Na dèan fuaim sam bith air do bheatha! Agus na fàg am baga! Siuthad, lean mise!"

Agus an dèidh a cheann a thogail airson dèanamh cinnteach nach robh Dol-Angaidh faisg air làimh, dh'fhosgail Sìm an doras agus liùg na balaich a-mach às a' chàr agus dhùin iad an doras air an cùlaibh cho sàmhach 's a b' urrainn dhaibh.

Bha iad faisg air a' chladach timcheall air leth-mhìle bho thaigh Fhionnlaigh. B' e tac a bh' ann aig aon àm agus bha seann mhuileann rin taobh. Bha na ballachan air tuiteam thairis air na bliadhnaichean agus cha robh mullach oirre a-nis. Bha e cunnartach a bhith na broinn agus mar sin bhiodh pàrantan Fhionnlaigh ag ràdh ris gun a dhol faisg oirre. 'S ann air leathad beag ri taobh na muilne a bha an càr na stad, agus ghluais na sgòthan a-mach às an rathad air a' ghealaich ann an tìde 's gum faiceadh na balaich Dol-Angaidh a' coiseachd sìos chun na muilne leis a' mhàileid agus a' gabhail a-steach air an doras.

Sheall Fionnlagh ri Sìm.

"Trobhad, ma-thà! Mach à seo sinn! Ma ruitheas sinn suas rathad meadhain nan lotaichean, bidh sinn air ais aig an taigh ann an còig mionaidean!"

Stad Sìm agus thionndaidh e ri Fionnlagh.

"Cha tàinig sinn cho fada ri seo gun fiù 's a dhol a dh'fhaicinn dè tha Dol-Angaidh a' dèanamh?" thuirt e.

"Aidh, ach chan e geama tha seo a-nis idir, a Shìm. Tha sinn ann am fìor chunnart!" arsa Fionnlagh.

"Uill, ma tha thu a' dol dhachaigh," arsa Sìm, "tha thu a' dol dhachaigh leat fhèin. Tha mise dol a thoirt sùil."

Agus le sin, thàinig Sìm a-mach bho chùl a' chàir agus le chorp crùbte, ghluais e a-null tarsainn air an fheur.

Bha a' mhuileann na seasamh ann an gleann beag far an robh allt a' sruthadh agus bha balla-cùil na muilne air a chladhach a-steach do chliathaich a' ghlinne. Mar sin, le bhith a' dìreadh suas cnoc beag, chitheadh Sìm a-steach na broinn. Sin a rinn e, agus cho luath 's a sheall e tarsainn air a' bhalla, smèid e ri Fionnlagh (a bha fhathast air chrith aig cùl

a' chàir) airson a thighinn a-nall. Bha Fionnlagh
a-nis a' faireachdainn tinn, ach co-dhiù, rinn e
mar a bha Sìm ag iarraidh air. Chrom e sìos
ri taobh Shìm agus thog e a cheann gus am
faiceadh e sìos a bhroinn na muilne.

Chunnaic iad Dol-Angaidh a' coiseachd mun
cuairt gu socair eadar na seann chlachan agus
uidheam meirgeach. Mu dheireadh stad e anns
an rùm a bha dìreach fòdhpa. Chuir e sìos
a' mhàileid agus sheas e ann an sin mar gum
biodh e a' feitheamh ri bus. Dè fo ghrian a bha
e a' dèanamh?

Chaidh na mionaidean seachad. Fhathast, cha
do ghluais Dol-Angaidh. Bha e mar ìomhaigh a
chitheadh tu ann an taigh-tasgaidh.

"'Eil e air a dhol às a chiall?" arsa Fionnlagh
ri Sìm ann an cagair.

Phut Sìm e airson gun isteadh e.

"Aobh! Bha siud goirt..."

Ann am priobadh na sùla, chuir Sìm a làmh
tarsainn air beul Fhionnlaigh, agus nuair a
sheall Fionnlagh sìos, chunnaic e carson.

Bha gluasad san dorchadas air taobh eile an
rùm.

Cha robh Dol-Angaidh na aonar!

Bha am fear eile àrd, mu chaogad bliadhn' a dh'aois, le falt liath air a chìreadh air ais bho mhaoil. Bha còta fada dorch air agus stoc mu amhaich. Bha miotagan dubha leathair agus màileid aige fhèin na làimh a bha gu math coltach ris an tè a bh' aig Dol-Angaidh.

"Ah, Quinton. 'S math d' fhaicinn," arsa Dol-Angaidh. "'Eil iad agad?"

"Tha iad an seo," ars am fear air an robh Quinton, a' togail a bhaga gus am faiceadh Dol-Angaidh e. "'Eil an t-airgead agad?"

Thog Dol-Angaidh a mhàileid fhèin.

"Fichead mìle, mar a dh'iarr thu," thuirt e.

"Ceart," arsa Quinton. "Cuir sìos am baga agus gabh trì ceumannan air ais."

Chunnaic na balaich Dol-Angaidh a' cur na màileid sìos air a bheulaibh agus a' coiseachd trì ceumannan air falbh bhuaipe.

"Fuirich an sin gus an cunnt mi e. Na gluais, agus na dèan càil gòrach," arsa Quinton.

Dh'fhosgail e am baga agus thòisich e a' toirt nam badan airgid a-mach agus gan cunntadh. Chunnt e iad a-rithist agus stad e.

"Haoi!" dh'èigh e ri Dol-Angaidh. "Dè tha thu feuchainn ri dhèanamh?"

"Dè tha thu a' ciallachadh?" fhreagair Dol-Angaidh le iongnadh.

"Chan eil an seo ach naoi-deug!" arsa Quinton le fearg na ghuth.

Thionndaidh Fionnlagh agus Sìm mar aon neach agus sheall iad ri chèile lem beòil fosgailte. An t-airgead! Bha am bad airgid a thug Fionnlagh às a' mhàileid fhathast ann an rùm Shìm!

Shad an duine am baga air an talamh agus thòisich e a' coiseachd a dh'ionnsaigh Dhol-Angaidh.

"A shalchair!" Dh'èigh e. "An robh thu a' smaoineachadh nach mothaichinn?"

"Gabh air do shocair!" arsa Dol-Angaidh, a dhà làimh air a bheulaibh airson e fhèin a dhìon. "Tha an t-airgead agam! Bha fichead mìle anns a' bhaga!"

"Uill, chan eil e ann a-nis! Fhuair thu do chothrom. Tha an cùmhnant againn briste. Oidhche mhath!"

Agus le sin, tharraing e a ghàirdean air ais agus thug e dòrn dha Dol-Angaidh mu thaobh a chinn a leag e fuar chun na talmhainn. Thuit e na chlod am measg nan clachan.

Dh'fhàg Quinton Dol-Angaidh na laighe. Thog e a bhaga fhèin agus baga Dhol-Angaidh, agus le fiamh a' ghàire air aodann, thòisich e a' coiseachd air falbh.

"Luath!" arsa Sìm. "Faigh an ròpa às do bhaga! Agus sìos an uair sin gu doras na muilne!"

Bha làmhan Fhionnlaigh a' dol an lùib a chèile leis a' chabhaig, ach fhuair e grèim air an ròpa, shlaod e a-mach e agus rinn an dithis aca às mar am beatha sìos an leathad gu doras na muilne. Bha Quinton fhathast gun dèanamh a shlighe a-mach.

"Theirig thusa gu taobh eile an dorais agus fuirichidh mise an seo. Thoir leat ceann an ròpa agus leig dha laighe air an talamh. Cho luath 's a chanas mi riut, slaod, agus na leig às e air do bheatha bhuain!"

Theich Fionnlagh gu taobh thall an dorais, a' sìneadh an ròpa a-mach às a dhèidh cho math 's a b' urrainn dha. Smèid Sìm ris airson a dhol a-mach à sealladh agus chaidh Fionnlagh na chrùban ris an ursainn. Chluinneadh iad ceumannan Quinton a' tighinn na b' fhaisg agus na b' fhaisg san dorchadas. Bha fallas a' dòrtadh sìos amhaich Fhionnlaigh. Bha e a' faireachdainn coilear a gheansaidh fliuch agus bha brag aig a chridhe a bha dìreach eagalach.

Bha fuaim nan ceumannan air làr na muilne a' fàs na bu mhotha 's na bu mhotha, a' lìonadh cluasan nam balach, ach an uair sin stad iad. An robh Quinton ag aithneachadh gun robh rudeigin ceàrr? Chaidh grunn dhiogan eile seachad gus an cuala na balaich cliog lasadair agus thàinig boillsgeadh solais agus steall ceò a-mach air an doras rin taobh. Bha Quinton air toit a lasadh. 'S e rud math a bha seo. Bhiodh an lasair air fradharc-oidhche Quinton a mhilleadh 's cha bhiodh e cho dualtach an ròpa fhaicinn, no na balaich a bha aig gach ceann dheth. Mu dheireadh thòisich na ceumannan a-rithist, agus ann an solas fann na gealaich, chunnaic iad Quinton a' tighinn a-mach an doras.

Dihaoine - 01:12

"SLAOD!" dh'èigh Sìm aig àrd a chinn, agus tharraing Fionnlagh ceann an ròpa cho cruaidh 's gun do theab e car a chur. Thachair a h-uile càil ann an cabhaig.

Dh'èirich an ròpa bhon talamh agus chaidh e cho teann ri sreang-aodaich aig àirde glùinean Quinton. Le èigh mhòr, thuit e air a bheul fodha air an talamh agus bhuail a cheann air clach le brag uabhasach.

"Ceangail e!" dh'èigh Sìm. "Gabh grèim air a ghàirdeanan!"

Bha an dà bhalach air a mhuin mar dhà dhamhan-allaidh acrach air cuileag. Na shìneadh fuar air an talamh le cnap mòr a' bòcadh a-mach air cùl a chinn, cha robh dad a dh'fhios aig an duine dè bha a' tachairt dha. Chuir na balaich car an dèidh car an dèidh car den ròpa mun cuairt air a chorp gus an robh e mu dheireadh na bu choltaiche ri isbean.

Shuidh na balaich sìos air a mhuin 's an anail nan uchd.

"Dè a-nis?" arsa Fionnlagh, 's anail a' pìochail.

"Uill, chan urrainn dhuinn fuireach ann an seo leis!" thuirt Sìm. "Feumaidh sinn cuideachadh fhaighinn."

Chuimhnich Fionnlagh an uair sin air an stuth a thug e leis bhon taigh.

"Fòn-làimhe m' athar! Sìn thugam mo bhaga!" thuirt e.

Leum Sìm gu chasan, ruith e a-null gu far an robh am baga na laighe agus thog e e. Air an t-slighe air ais, thog e cuideachd am baga a bha air a bhith aig Quinton na làimh. Bha Quinton a' tòiseachadh air tighinn timcheall a-nis, ach cha b' urrainn dha gluasad òirleach air sgàth an ròpa a bha mun cuairt air. Thòisich e a' guidheachdainn 's a' maoidheadh orra, ach bha e air a ghlacadh mar iasg ann an lìon.

"Seo," arsa Sìm a' sadail baga Fhionnlaigh thuige. Thòisich Fionnlagh a' sporghail timcheall gus an do lorg e a' fòn. Lorg e an roile *duct tape* cuideachd agus gheàrr e stiall dheth agus chuir e tarsainn air beul an duine e. Bha cùisean beagan nas sàmhaiche a-nis co-dhiù.

"'Eil thu dol a chur fòn dhachaigh?" dh'fhaighnich Sìm.

"Na bi cho gòrach!" arsa Fionnlagh. "Cuiridh mi fios air na poilis! Chan fhaigh mi ann an trioblaid cho mòr ma bhios iadsan an seo mus nochd m' athair!"

Bha fios glè mhath aig Fionnlagh air àireamh nam poileas. Bha e air fònadh turas nuair a bha e na rud beag agus chuir e seachad ùine mhath a' bruidhinn ris a' phoileas mus do ghlac athair e. Bhiodh e a' cur seo na chuimhne gu math tric, agus bhitheadh 's am poileas a h-uile uair a choinnicheadh Fionnlagh ris.

"Dè bh' aige anns a' bhaga co-dhiù?" dh'fhaighnich Fionnlagh.

Shuidh Sìm sìos air muin Quinton a-rithist agus dh'fhosgail e am baga. Bha e loma-làn le pocannan beaga làn pùdar geal.

"Drugaichean! 'S e fear-dhrugaichean a th' ann!"

"Ach, carson a bha Dol-Angaidh gan ceannach?" dh'fhaighnich Fionnlagh.

"Airson an reic ri daoine eile, a bhubhailear! Carson a tha thu a' smaoineachadh?" fhreagair Sìm gu mì-fhoighidneach. "Siuthad an-dràsta agus fònaig na poilis an àite a bhith a' faighneachd cheistean gòrach!"

Gu diombach, thog Fionnlagh a' fòn-làimhe agus phut e a-steach àireamh an stèisein-poilis.

"Bidh am poileas anns an leabaidh an-dràsta," arsa Fionnlagh. "Thèid e às a chiall..."

Ach, cha mhòr anns a' bhad, bha cliog aig a' cheann eile agus thàinig guth Sàirdseant Moireach troimhe.

"Hallò?"

"Sàirdseant Moireach! 'S e Fionnlagh a tha seo!"

"Fionnlagh? Fionnlagh beag aig Sprogey?" (B' e Sprogey a bhiodh aca air athair Fhionnlaigh, ge bith carson.)

"'S e!"

"Dè fo ghrian a tha thu a' dèanamh a' fònadh mun àm sa?"

"Tha cus ann ri innse! Dìreach thig agus cuidich sinn!"

"Sinn? Cò tha còmhla riut?"

"Sìm," arsa Fionnlagh.

"Sìm? Dè idir a tha sibh a' dèanamh? Càit a bheil sibh?" ars am poileas.

Ach mus d' fhuair Fionnlagh cothrom a fhreagairt, chuala e guth domhainn air a chùlaibh.

"Thoir dhomh a' fòn sin. An-dràsta!"

Thionndaidh Fionnlagh agus Sìm mun cuairt gu slaodach agus sheall iad suas... suas... gus an do laigh an sùilean mu dheireadh thall air aodann Dhol-Angaidh dìreach os an cionn.

Dihaoine - 01:27

'S ann gu math gliogach mu na casan a bha Dol-Angaidh a' coimhead agus bha brùid de chnap air cliathaich a chinn. Shìn e a-mach a làmh.

"Siuthad. Thoir dhomh a' fòn!" ars esan.

"Na dèan e, Fhionnlaigh!" dh'èigh Sìm. "Na dèan càil a tha e ag iarraidh ort!"

"Dùin thus' do chab," arsa Dol-Angaidh ri Sìm, "agus thoir thusa dhomh a' fòn a tha sin!"

Cha robh dòigh a-mach às an t-suidheachadh seo. Shìn Fionnlagh a' fòn a-null gu Dol-Angaidh le crith a' bhàis na làimh.

"Na goirtich sinn! Na marbh sinn!" thòisich Fionnlagh a' sgiamhail.

"Ò ist!" arsa Dol-Angaidh, agus thog e a' fòn gu chluais. Bha guth a' phoilis fhathast a' brunndail air ceann eile na loidhne. Ach an àite a' fòn a chur sìos, 's ann a bhruidhinn Dol-Angaidh.

"Sàirds'," arsa Dol-Angaidh. "An tu a th' ann?"

Mura b' e gun robh an dithis aca nan suidhe aig an àm, bhiodh Fionnlagh agus Sìm air fanntaigeadh. Sàirds'? Bha e a' bruidhinn ris a' phoileas mar gum b' e caraid dha a bh' ann! Chùm iad orra ag èisteachd le iongnadh.

"Tha e againn! 'Eil na balaich eile fhathast aig a' gheata tha shìos? Cuir fios orra a thighinn suas ma-thà. Tha dithis còmhla rium an seo a tha ceum air thoiseach orra! Tha, tha. Ceart. Dèan thusa sin. Glè mhath ma-thà. Chì mi thu ann an dhà no thrì mhionaidean."

Bhrùth Dol-Angaidh putan a' fòn agus thug e air ais dha Fionnlagh e.

"Tha mi cinnteach gu bheil ceistean agaibh," thuirt Dol-Angaidh riutha.

"Um...," arsa Fionnlagh. "Dh'fhaodadh tu sin a ràdh, ceart gu leòr."

Thòisich Dol-Angaidh a' lachanaich. Chuala iad uile an uair sin fuaim einseann càir agus thàinig solais suas an rathad bho bhonn an leathaid. Nochd càr poilis agus stad e ri taobh càr Dhol-Angaidh. Chuala iad brag nan dorsan agus thàinig dithis phoileas a-mach agus choisich iad sìos a dh'ionnsaigh Dhol-Angaidh agus na balaich.

"Bha thìd' agaibh smaoineachadh air!" arsa Dol-Angaidh le gàire. "Cha mhòr nach deach a' chùis ceàrr oirrne!"

"Haoi, chan eil mise fhathast a' tuigsinn dè tha tachairt!" thuirt Fionnlagh gu mì-fhoighidneach. "Cò tha seo?" dh'fhaighnich e, a' coimhead ris an fhear a bha na laighe air an talamh is e ceangailte. "Agus dè a bha thu fhèin a' dèanamh a-staigh an sin còmhla ris?"

Choisich Dol-Angaidh a-null chun an duine agus chrùb e sìos ri thaobh.

"Seo fear air a bheil Quinton Peeples," arsa Dol-Angaidh. "Tha e air a bhith a' toirt dhrugaichean a-steach dhan eilean airson grunn bhliadhnaichean agus tha mise air a bhith toirt a' chreids' air gu bheil mi airson ceannach bhuaithe airson timcheall air sia mìosan a-nis."

Las sùilean Shìm nuair a chuala e seo.

"'Eil thu a' ciallachadh gur e 'sting operation' a bha seo?" ars esan le uabhas.

"Gu dearbha. 'S e sin dìreach a bh' ann!" fhreagair Dol-Angaidh. "Tha mise air a bhith ag obair gu dìomhair airson nam poileas o chionn ùine mhòr, ach mura b' e gun robh sibh air ga mo leantainn a-nochd, 's ann gu math dona a bhiodh a' chùis air a dhol. 'S e stiong a bh' ann gun teagamh!" thuirt e a' suathadh a' chnap a bh' air a cheann.

"Uill, feumaidh sinn aideachadh gur e sinne a thug air a' chùis a dhol ceàrr anns a' chiad àite," arsa Fionnlagh ann an guth liùgach. "'S e sinne a dh'fhalbh leis a' bhad airgid a bha a dhìth ort. Tha e shìos aig taigh Shìm."

Thòisich Dol-Angaidh a' gàireachdainn a-rithist. "Tha mi toilichte sin a chluinntinn," ars esan. "Bha dùil agam gun robh mi a' tòiseachadh ga mo chall fhìn!" Rinn na poilis a bha còmhla ris gàire aig an seo.

Thog iad Quinton gu chasan agus shlaod an dà phoileas e suas an leathad chun a' chàir. Fhad 's a bha iad ga chur a-steach, thàinig càr eile. An turas seo 's e Sàirdseant Moireach a bha ann. Choisich e a-null gu far an robh Dol-Angaidh agus na balaich nan seasamh. Duine mòr, leathann le mailghean dorcha a bha a' sgaoileadh mun cuairt fo bhil na h-aid' aige.

"'Eil a h-uile duine ceart gu leòr?" dh'fhaighnich e.

"Uill," arsa Dol-Angaidh, "a thuilleadh air gu bheil cinn ghoirt agam fhìn 's aig Quinton, tha sinn cho math 's a ghabhas!"

Rinn Sàirdseant Moireach gàire.

"Chì sinn dè cho fad 's a sheasas sin! Tha mi air fònaigeadh gu ur pàrantan, a bhalachaibh. Dh'inns mi dhaibh na b' urrainn dhomh mus tàinig mi a-nuas. Thèid mi fhìn dhachaigh leibh an-dràsta oir bidh aig Dol-Angaidh ri beagan a dhèanamh aig an stèisean mus till e." Sheall e ri aodann Fhionnlaigh (a bha an dèidh a dhol mar thaibhs aig an smuain gun robh am poileas a' dol ga thoirt dhachaigh gu phàrantan) agus thuirt e, "Na gabhaibh dragh. Cha chreid mi gum faigh sibh ann an cus trioblaid airson seo, seach gun deach a' chùis cho math!"

Thug Fionnlagh sùil neo-chreidmheach air Sàirdseant Moireach agus rinn Sìm gàire. Bha Sìm na bu eòlaich' air màthair Fhionnlaigh na bha an Sàirdseant.

"Trobhadaibh, ma-thà! Rinn sibh gu leòr an seo a-nochd. Dhachaigh dhan leabaidh, agus thig sinn chun an taighe a-màireach airson an sgeulachd air fad fhaighinn."

Agus le beagan iomagain, thill na balaich suas an leathad còmhla ri Sàirdseant Moireach, a-steach dhan chàr-poilis agus air ais suas an rathad gu na taighean aca fhèin.

Dihaoine - 16:00

B' e latha math samhraidh a bh' ann. Mar a chanadh athair Fhionnlaigh, bha blàths anns a' ghrèin – latha math tioramachaidh.

Bha Fionnlagh agus Sìm nan suidhe shuas ann an lobht na bàthaich a-rithist an dèidh dhaibh uair a thìde a chur seachad anns a' chidsin a' bruidhinn ri Sàirdseant Moireach, Dol-Angaidh agus am pàrantan. Bha na h-inntinnean aca a' cur nan caran ri linn an rud a chuala iad.

"Smaoinich fhèin!" arsa Fionnlagh. "M' uncail Dol-Angaidh ag obair gu dìomhair airson nam poileas!"

"Aidh," fhreagair Sìm. "Agus smaoinich oirnne ga chuideachadh a' glacadh an duine a bha e air a bhith a' feuchainn ri fhaighinn airson sia mìosan! Nach saoileadh tu gum biodh e air gu leòr trèanaidh fhaighinn 's nach fheumadh e cuideachadh bhuainne?"

"Ah," thuirt Fionnlagh. "Tha sin dìreach a' sealltainn dhut cho comasach 's a tha sinn."

Shuidh iad gu sàmhach airson mionaid.

"An d' fhuair thu do mhì-shealbh?" dh'fhaighnich Sìm.

"Fhuair. Thusa?"

"Aidh."

Chaidh cùisean sàmhach a-rithist.

"Na chaill thu d' airgead-pòcaid?" thuirt Fionnlagh.

"Aidh. 'Eil thusa *grounded*?"

"Tha."

Leig an dithis aca osna còmhla.

"Uill siud e seachad, co-dhiù," arsa Fionnlagh. "Thèid Quinton dhan phrìosan, fhuair na poilis an t-airgead air ais 's tillidh sinne air ais dhan sgoil an-ath-sheachdain. Fhuair sinn taing bho na poilis agus fhuair sinn ar dòlas bho ar pàrantan. Air ais a-nis gu ar beatha àbhaisteach."

Sheall Sìm ris.

"Chan eil fhios agam mu do dheidhinn-sa," thuirt e, "ach chan eil mise deònach a dhol air ais gu beatha àbhaisteach buileach fhathast..."

Agus le sin, chuir e a làmh na phòcaid agus thug e a-mach pìos pàipear lùbte. Dh'fhosgail e a-mach e agus sheall e dha Fionnlagh e.

Bha SBFS sgrìobhte air an duilleig ann an litrichean mòra dubha.

"Dè fo ghrian a th' ann an SBFS?" dh'fhaighnich Fionnlagh.

Le gàire mhòr air aodann, sgaoil Sìm a-mach a ghàirdeanan agus thuirt e ann an guth mòr,

"Seirbheis Beachdachaidh Fhionnlaigh agus Shìm!"

"Seirbheis Beachdachaidh? Dè? Mar lorg-phoilis dhìomhair?" dh'fhaighnich Fionnlagh.

"Sin e dìreach!" thuirt Sìm. "Tha eòlas againn a-nis! Bidh a h-uile duine às ar dèidh airson cuideachadh le suidheachaidhean cunnartach!"

"Ach... Ach... Bha dùil agamsa seach gun deach Quinton a ghlacadh agus gu bheil a h-uile càil air ais mar a bha, gun robh a' chùis seachad!"

"Seachad?" arsa Sìm. "Ò, Fhionnlaigh... cha do rinn sinn càil ach tòiseachadh..."